Nous remercions pour son aimable collaboration Odette Minet,
conseillère pédagogique en Ecole Normale.
Maquette de couverture : Michèle Isvy

© Bordas, Paris, 1986
ISBN 2-04-016558-4
Dépôt légal : avril 1987
                  juin 1989
Achevé d'imprimer en juin 1989, par :
Imprimerie PROOST INTERNATIONAL BOOK PRODUCTION,
Turnhout, Belgique

sous la direction pédagogique de:

HUGUETTE SERRI

HÉLÈNE RAY   ROSY

DESSINE-MOI
UNE MAISON

Bordas

BIBLIOTHÈQUE DES BENJAMINS

– c'est une maison.
– non, ce n'est pas une maison,
elle n'a pas de porte.

– voilà la porte,
c'est une maison.
– non, ce n'est pas une maison,
elle n'a pas de fenêtres.

– voilà les fenêtres,
c'est une maison.
– non, ce n'est pas une maison,
elle n'a pas de toit.

– voilà le toit,
c'est une maison.
– non, ce n'est pas une maison,
elle n'a pas de cheminée.

– voilà la cheminée,
c'est une maison.
– non, ce n'est pas une maison,
il faut des volets
pour protéger du froid
pendant les nuits d'hiver,
et du soleil
pendant les jours d'été.

– voilà des volets aux fenêtres,
c'est une maison.
– non, ce n'est pas une maison,
elle est vide,
personne n'y habite.

– voilà des personnes aux fenêtres,
c'est une maison.
– non, ce n'est pas une maison,
il n'y a pas de chat,
une maison sans chat,
ce n'est pas une vraie maison.

– voilà un chat
qui dort devant la porte.
c'est une maison.
– non, ce n'est pas une maison,
une maison sans jardin,
ce n'est pas une vraie maison.

– voilà le jardin
devant la maison.
es-tu contente ?
– non, ce n'est pas un jardin,
il n'y a ni fleurs,
ni arbres,
ni oiseaux.

– voilà des fleurs,
des arbres
et des oiseaux,
c'est un jardin.
– je veux aussi un chien
pour garder la maison
et jouer avec moi.

– voilà le chien,
un gros toutou
très doux.
est-ce tout ?
– oui... je crois,
mais j'ai un peu froid,
je voudrais entrer dans cette maison.

– entre dans cette maison,
une maison sans enfant
n'est pas une vraie maison.
– il manque encore une chose,
légère,
toute légère,
la dernière chose.
– quelle chose encore ?
– de la fumée qui sort de la cheminée.

– voilà la fumée qui sort de la cheminée.
entre,
qu'attends-tu ?
– un petit moment
s'il vous plaît,
le temps de cueillir
un gros bouquet
pour orner la maison.

– j'ai ouvert la porte de la maison,
entre.
– merci, j'entre vite dans cette maison,
il y fait bon,
il y fait chaud,
c'est une vraie maison.

PRINTED IN BELGIUM BY

proost

INTERNATIONAL BOOK PRODUCTION